Narciso Serra, 25
28007 Madrid
Tels.: (91) 433 54 07
433 53 50
Fax: (91) 433 02 04

ISBN.: 84-7630-529-X
Depósito Legal: M-20.234-1995
3ª edición 1997

Fotocomposición: Versal, S.L.
Impresión: Inmagrag, S.L. (Madrid)

Printed in Spain

¡Esto es un lío...!

Pilar Migallón Lopezosa
Mercedes Palop Botella
Caterina Marassi Candia
José R. Díaz Morfa
Asociación Española de Sexología Clínica

Ilustraciones: **Vane**

PLANETA

A LOS PADRES Y LAS MADRES

La complejidad de las relaciones personales y sexuales, junto a la evolución que ha experimentado la vida en los últimos años, plantea muchas preguntas a nuestras hijas e hijos. En este libro abordamos algunos de esos temas conflictivos así como ciertas creencias falsas que es importante desmitificar.

"En mi casa vivimos mi mamá, mi abuela y yo" *Rubén, 8 años.*
"Mi familia somos: papá, Carlos, yo y mi hermano" *Nuria, 7 años.*

En los últimos años, la estructura de la familia ha variado. Nuestros hijos e hijas necesitan comprender por qué hay familias distintas de la suya. Los padres y madres debemos ayudarles a forjar criterios que les orienten y enseñen a respetar las diferencias.
Las situaciones de separación y divorcio son hechos frecuente en nuestros días. Si la pareja tiene hijos e hijas, hay que asegurarles que su papá y su mamá seguirán queriéndoles.

Conviene explicarles también de qué forma se les cuidará en el futuro.

"En mi colegio se ríen de mí. Me llaman gordo gafotas" *Jorge, 9 años.*

La televisión y los medios de comunicación de masas nos transmiten un mundo de gente guapa y perfecta en el que imperan valores de poder, dinero, belleza y eficacia. Nuestros hijos e hijas necesitan referencias que les ayuden a crecer encontrando su propio ritmo, valorando sus capacidades, aceptando su propio cuerpo y sus limitaciones.

"Él me dijo que no se lo contara a nadie" *Cristina, 12 años.*

Un porcentaje elevado de mujeres ha sufrido abusos sexuales alguna vez en su infancia o adolescencia y, en menor proporción, los hombres. Si una niña o un niño cuenta que alguien le ha hecho o le ha obligado a hacer "cosas" que le dan vergüenza, debemos creerle, evitar que la situación se repita y pedir ayuda.

ALGUNAS MENTIRIJILLAS

Algunas personas creen que el sexo es algo sucio o malo.
Pero no es cierto; la sexualidad es una de las formas que tenemos las personas para comunicarnos, darnos cariño, placer y divertirnos juntas.
También hay algunas personas que desconocen cómo funciona su cuerpo. Por ejemplo, no saben qué es lo que tiene que ocurrir para que una mujer se quede embarazada o qué deben hacer, tanto los hombres como las mujeres, para evitar embarazos no deseados.

—Me han dicho que si te bañas en la piscina te quedas embarazada.

Todas las personas crecemos creyendo historias que no siempre son verdaderas, pero que a veces nos sirven para entender de forma más sencilla las cosas. Por ejemplo, ¿quién no ha oído que los bebés los traía una cigüeña o que venían de París? Hay también otras creencias más perjudiciales, como por ejemplo, creer que si dos personas se dan un beso en la boca o se acarician los genitales, la mujer se quedará embarazada. Por supuesto, ya sabéis que no es así. Para que se produzca un embarazo es necesario que el **pene** del hombre se introduzca en la **vagina** de la mujer. También podría producirse un embarazo, aunque no es muy frecuente, si el hombre **eyacula** en la entrada de la vagina.

Otra idea incorrecta es que si la pareja realiza el **coito** de pie, no habrá embarazo.
Esto no es cierto. Para que la mujer se quede embarazada lo importante es que el **espermatozoide** llegue hasta el **óvulo**, y esto puede suceder en cualquier postura, si se introduce el pene en la vagina.
Hay quien cree que para que se dé un embarazo, es necesario hacer el amor más de una vez.

Incluso, se piensa, que la primera vez que una mujer realiza el coito no se puede quedar embarazada.
Las dos cosas son erróneas.
Como ya hemos dicho, el embarazo se produce al unirse un óvulo y un espermatozoide y esto puede ocurrir en una sola **penetración**.

También se tienen algunas ideas equivocadas sobre la **masturbación**. Quizá habrás oído frases como:

—Si te tocas el pene, te vas a poner enfermo.
—Sólo las niñas malas se tocan allí abajo.
—Los chicos y las chicas jóvenes tienen granos porque se masturban.

Acariciarse los **genitales** y cualquier otra parte del propio cuerpo, es una forma de conocer, cuidar y dar placer a nuestro propio cuerpo.

También se han dicho muchas cosas equivocadas sobre la **menstruación**. Por ejemplo, que las mujeres podían enfermar si se bañaban en esos días. No es verdad; la menstruación no hace daño ni a la mujer ni a nada de su alrededor. Las niñas deben entender que esos días son como otros.
Otra afirmación incorrecta es que las chicas que tienen relaciones sexuales con varios chicos son unas **prostitutas**. No es cierto. Una prostituta es la mujer que cobra dinero a los hombres por tener relaciones sexuales. También hay hombres que lo hacen. Lo importante es que cada persona sepa elegir cuándo, con quién y por qué hace el amor.
También habrás oído decir que un pene grande es mejor o más valioso. ¿Pensarías que es mejor una persona con la nariz grande que otra con la nariz pequeña?

Entonces, ¿por qué iba a ser distinto con el tamaño del pene? El hecho de que un pene sea grande o pequeño no cambia el valor de la persona ni el de su capacidad para hacer el amor.

NO TODAS LAS FAMILIAS SON COMO LA MÍA

Habitualmente, cuando pensamos en una familia, nos imaginamos una madre, un padre y algún niño o niña. Pero te habrás dado cuenta de que no todas son así; existen muchas diferencias entre unas y otras.

Hay familias formadas sólo por la pareja. Otras, en las que sólo vive la mamá o el papá con los hijos o las hijas. Esto último puede deberse a causas muy distintas: que el padre y la madre nunca hayan vivido juntos, que uno de los cónyuges haya muerto, o sencillamente, que la pareja, después de pasar algún tiempo conviviendo en la misma casa, decida separarse.

En muchas familias el padre trabaja fuera de casa y es la madre quien se ocupa de las tareas del hogar y de cuidar a sus hijos e hijas. Otras veces, cuando los dos trabajan fuera de casa, a los niños o las niñas se les lleva a la guardería o se les deja bajo el cuidado de un familiar cuando son pequeñitos.
Hay familias en las que la madre trabaja fuera de casa, y el padre se ocupa de hacer la comida, la limpieza y de atender a los hijos e hijas.
Asimismo, existen familias formadas por muchos hermanos y hermanas y se tienen que organizar para atender todas las tareas diarias de la casa.
También resulta común que en el hogar convivan el abuelo o la abuela o algún otro familiar.

Cuando una pareja se separa o se **divorcia,** quiere decir que la madre y el padre han decidido no vivir más tiempo en la misma casa. Esto no significa que ya no sean el papá o la mamá de los hijos e hijas, ni que vayan a dejar de quererlos y cuidarlos.
Tampoco quiere decir que alguien de la familia haya hecho algo malo. Algunos niños o niñas creen que el papá y la mamá se separan por su culpa. Esto nunca es así.

Cuando el papá y la mamá se han separado, a veces uno de ellos encuentra una nueva pareja. En esos casos, si se llevan bien, seguramente querrán vivir juntos, cuidar de los hijos o incluso tener un nuevo bebé. Entonces a veces ocurre que hay niños y niñas viviendo en la misma casa sin ser hijos del mismo papá o de la misma mamá. Pueden vivir y quererse como si fueran hermanos.
También hay parejas formadas por dos personas del mismo sexo que en ocasiones tienen hijos o hijas de otra pareja, o bien deciden adoptar un niño o una niña.
Como verás, hay muchas maneras de vivir en familia. Lo importante es que la gente se lleve bien y esté a gusto.

DECIR "NO"

—¿Quieres un helado?
—¡No!, mi papá y mi mamá me han dicho que no acepte regalos de extraños.

A las personas de cualquier edad nos gusta estar cerca de alguien a quien queremos para hablar y decirnos palabras cariñosas y acariciarnos. Pero nos gusta hacerlo cuando tenemos ganas y con las personas que queremos. No nos gusta hacer lo mismo con todo el mundo ni en cualquier momento.

A algunas personas les cuesta relacionarse con la gente de su edad. No se atreven a pedir a otras personas adultas las caricias, los mimos y las relaciones sexuales que necesitan. Por eso, a veces, se acercan a niños o niñas para tener algún tipo de contacto sexual.

Pueden querer mirar o tocar los genitales de los niños o que los niños y niñas se los toquen a ellos; a veces sólo quieren que se les mire cuando se exhiben desnudos.

Nada de esto es bueno para los niños y las niñas ni tampoco para las personas adultas.
Este tipo de gente puede utilizar engaños o amenazas para convencer a los niños y a las niñas a que hagan este tipo de cosas y lo mantengan en secreto.
Pueden decirles:

—*Esto ocurre porque eres una persona mala, si lo dices, todos van a saber lo mala o malo que eres.*

Otras veces les engañan diciendo:

—Si no lo haces es porque no me quieres.
—Éste es nuestro juego especial.
—Éste es un secreto entre tú y yo.

También pueden intentar convencer a los niños
y a las niñas dándoles regalos, dinero o golpeándoles.
En otras ocasiones dicen que es una forma
de educarles en las cosas del sexo.
No es verdad.
Si alguna vez te ocurriese algo parecido
con una persona mayor que tú, debes decirle que **NO**.
Esto no ocurre por tu culpa, sino porque esa persona
está enferma. Nunca debes guardar el secreto.
Debes contárselo a una persona mayor
en la que confíes para que te ayude.

¿Y ESO DEL SIDA?

Otra de las cosas de las que habrás oído hablar es del SIDA, y a lo mejor no entiendes de qué se trata.

El SIDA es una enfermedad causada por una especie de bichito muy, muy, pequeño llamado virus VIH. Este virus se introduce en las células que tiene el organismo para defenderse de otros microbios. Cuando ocurre esto, el cuerpo poco a poco va perdiendo la capacidad de protegerse de otras enfermedades.

—En mi clase hay un niño con SIDA.
—¿Y puedes jugar con él?
—¡Claro que sí!

Las personas con SIDA se encuentran más débiles y caen enfermos más a menudo y además no se mejoran.
Sin embargo, desde que se contagian del SIDA pueden pasar años hasta que la enfermedad se manifieste, o incluso puede suceder que nunca se manifieste.

Hay varias formas posibles de contagiarse de SIDA.

Por ejemplo, cuando la sangre de una persona enferma de SIDA entra en contacto con la sangre de otra.
Esto puede ocurrir en una transfusión de sangre, al compartir cepillos de dientes, la navaja de afeitar o inyectarse con una jeringa que ya ha sido usada.

Otra forma de contagio posible es durante las relaciones sexuales en las que haya coito. Para evitarlo se hace necesario el uso de **preservativos**. Con el uso de éstos evitamos el contagio de SIDA y de otras enfermedades de transmisión sexual.

Si una mujer con SIDA se queda embarazada, también puede trasmitir esta enfermedad a su bebé.
Por eso, como medida de precaución e higiene, no debes jugar con jeringas que te encuentres en los parques ni compartir cepillos de dientes.

En cambio, podemos jugar y hacer deporte con personas con SIDA y compartir bocadillos, cubiertos, servicios y ropa; bañarnos en la misma piscina, etc.

A pesar de lo que piensa mucha gente, el SIDA no es una enfermedad que se contagie de cualquier forma.

Si conoces a alguna persona que tiene SIDA:
¡No te preocupes!, puedes vivir con ella sin ningún problema.

Si en el colegio una niña o un niño que tiene este virus o está enfermo, se cae y se hace una herida, la maestra o el maestro debe lavarla con cuidado y desinfectarla como se hace siempre.
No nos vamos a contagiar por eso.

SOY IRREPETIBLE

Seguramente en tu clase o
entre las personas que
conoces hay mucha gente diferente. Habrás visto niñas
y niños rubios, morenos o pelirrojos.
A lo mejor conoces personas de distintas razas o países.
Hay personas bajitas, altas, gordas y flacas.
Quizá alguna vez te hayas puesto triste porque te parece
que hay niños o niñas mejores que tú. Eso no es verdad.
Hay niños o niñas a los que se les da bien la gimnasia,
algunos hacen muy rápido los problemas
de matemáticas y otros dibujan estupendamente.

Pero eso no significa que sean mejores, sino que todos somos distintos. Cada persona es única y especial.
Puede que seas bajita o que no se te den bien las matemáticas, pero cantas muy bien. Otra persona a lo mejor recuerda mal las lecciones de clase pero es muy divertida.
Si todas las personas fuéramos iguales, sería muy aburrido. ¿Te imaginas una clase en la que todo el mundo hablara con la misma voz, tuviera la misma cara o le gustaran las mismas cosas?
Todas las personas somos diferentes y se nos quiere por ser como somos.

LO QUE HEMOS APRENDIDO

— A lo largo del tiempo la gente se ha formado muchas ideas equivocadas sobre la sexualidad y el funcionamiento del cuerpo. Por eso es importante que nos informemos adecuadamente.
— Hay muchas formas de vivir en familia. Cualquier manera de compartir la vida con otros es válida y digna de respeto.
— Debemos elegir con quién nos gusta estar. Si un adulto te pide algo que te da vergüenza o no te gusta, dile que "NO". Si necesitas ayuda, pídesela a una persona mayor en la que confíes.
— El SIDA es una enfermedad grave producida por un virus. Hemos de saber cómo se contagia, aunque podemos vivir con un enfermo sin contraerla.
— Todas las personas somos diferentes. Nadie vale más que nadie. Todos tenemos algo importante que compartir con los demás y a cada uno se nos quiere por lo que somos.

GLOSARIO

Coito: Introducción del pene del hombre en la vagina de la mujer. Es lo mismo que **penetración**.

Enfermedades de transmisión sexual: Enfermedades que se pueden contagiar al tener relaciones sexuales sin utilizar preservativo.

Espermatozoide: Célula reproductora de los hombres. Contiene parte de la información necesaria para formar un bebé.

Eyaculación: Expulsión por el pene del líquido que transporta a los espermatozoides (semen).

Genitales: Órganos sexuales de la mujer y del hombre. En la mujer se puede ver la vulva. Es la parte del cuerpo situada por debajo del pubis, entre las piernas. La vulva está formada por el clítoris, el meato urinaro, los labios mayores, los labios menores y la entrada de la vagina. En el hombre podemos ver el pene y los testículos.

Masturbación: Acariciarse los genitales externos y todo el cuerpo.

Menstruación: Salida por la vagina de la sangre que cada mes se prepara en el útero para acoger a un óvulo fecundado. No ocurre durante el embarazo.

Óvulo: Célula reproductora de la mujer. Contiene parte de la información necesaria para formar un bebé.

Pene: Órgano sexual externo del hombre. Por el pene los hombres orinan y eyaculan.

Penetración: Introducción del pene del hombre en la vagina de la mujer. Es lo mismo que coito.

Preservativo: Funda de goma que se pone en el pene durante la relación sexual. Se utiliza para evitar el embarazo y las enfermedades de transmisión sexual, entre ellas el SIDA.

Prostituta: Mujer que pide dinero para tener una relación sexual. También lo hacen algunos hombres.

Separación o divorcio: Una pareja casada deja de estarlo. Las dos personas ya no viven juntas y cada una podrá empezar una nueva relación de pareja.

SIDA: Enfermedad producida por un virus que disminuye la capacidad del organismo para defenderse de enfermedades infecciosas. Se contagia cuando una persona sana tiene relaciones sexuales con una infectada y no utilizan el preservativo, o cuando se mezcla un poco de sangre de las dos.

Vagina: Órgano sexual de la mujer. Comunica el útero con el exterior.